这是我的书 It's MY BOOK 6　6级：300字

大明星阿尔法

作者：程以克（Vicki Cheng）
配图：秦志宁（Zhining Chin）

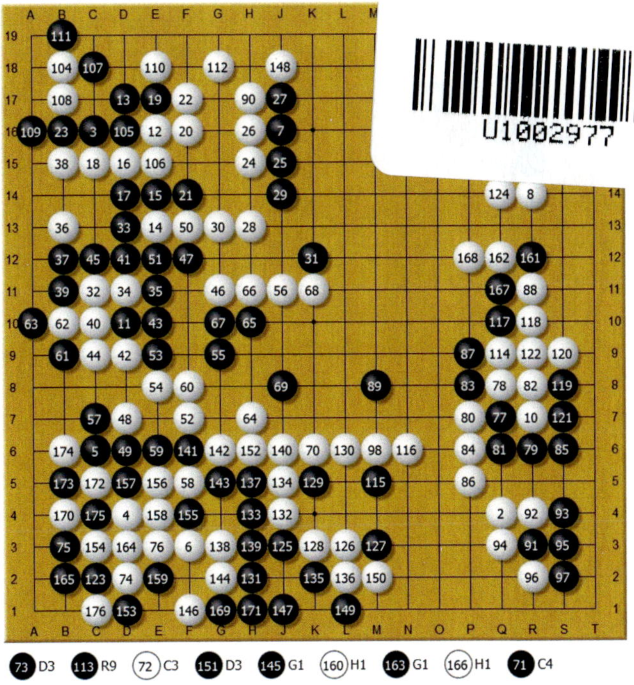

北京语言大学出版社
BEIJING LANGUAGE AND CULTURE UNIVERSITY PRESS

PHOENIX TREE
PHOENIX TREE PUBLISHING INC.

识读 脑 本事 打扫 名 想

句型 没有……，也没有……

字数 316字

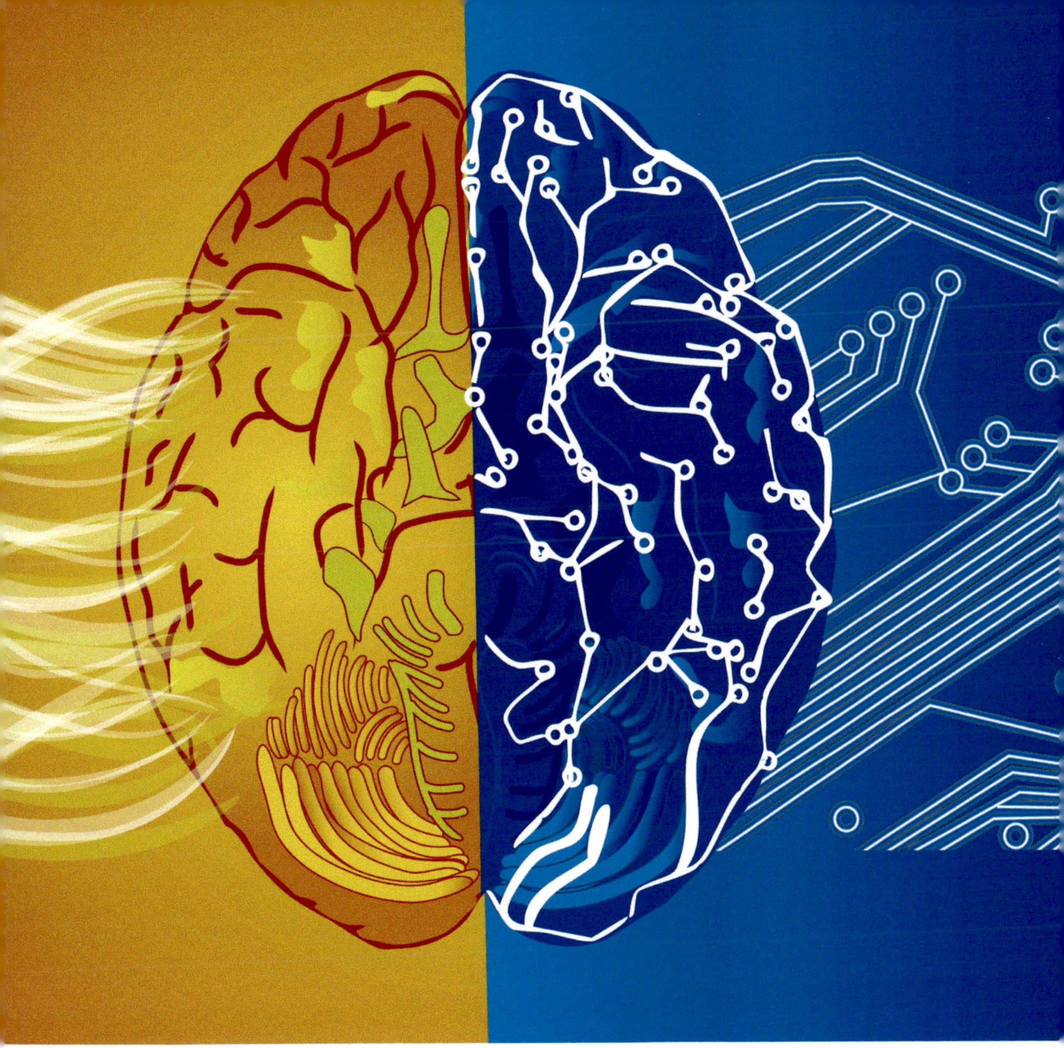

wǒ jiào ā ěr fǎ wǒ méi yǒu shǒu méi yǒu
我叫阿尔法，我没有手，没有
jiǎo yě méi yǒu yǎn jing bí zi hé ěr duo kě
脚，也没有眼睛、鼻子和耳朵，可
shì wǒ yǒu yí gè hěn chū sè de dà nǎo
是我有一个很出色的大脑。

wǒ de dà nǎo hěn hǎo yòng rén men jǐ nián cái
我的大脑很好用，人们几年才
néng xué huì de dōng xi wǒ hěn kuài jiù xué huì le
能学会的东西，我很快就学会了。

wǒ hái yǒu yí gè běn shi zhī dào le hěn duō
我还有一个本事：知道了很多
dōng xi hòu wǒ jiù kě yǐ míng bai yòng tā men lái
东西后，我就可以明白用它们来
zuò shén me zuò le yǐ hòu huì yǒu shén me jié guǒ
做什么、做了以后会有什么结果。
zhè yàng wǒ jiù néng zhǎo dào zuì hǎo zuì kuài de bàn
这样，我就能找到最好最快的办
fǎ qù zuò
法去做。

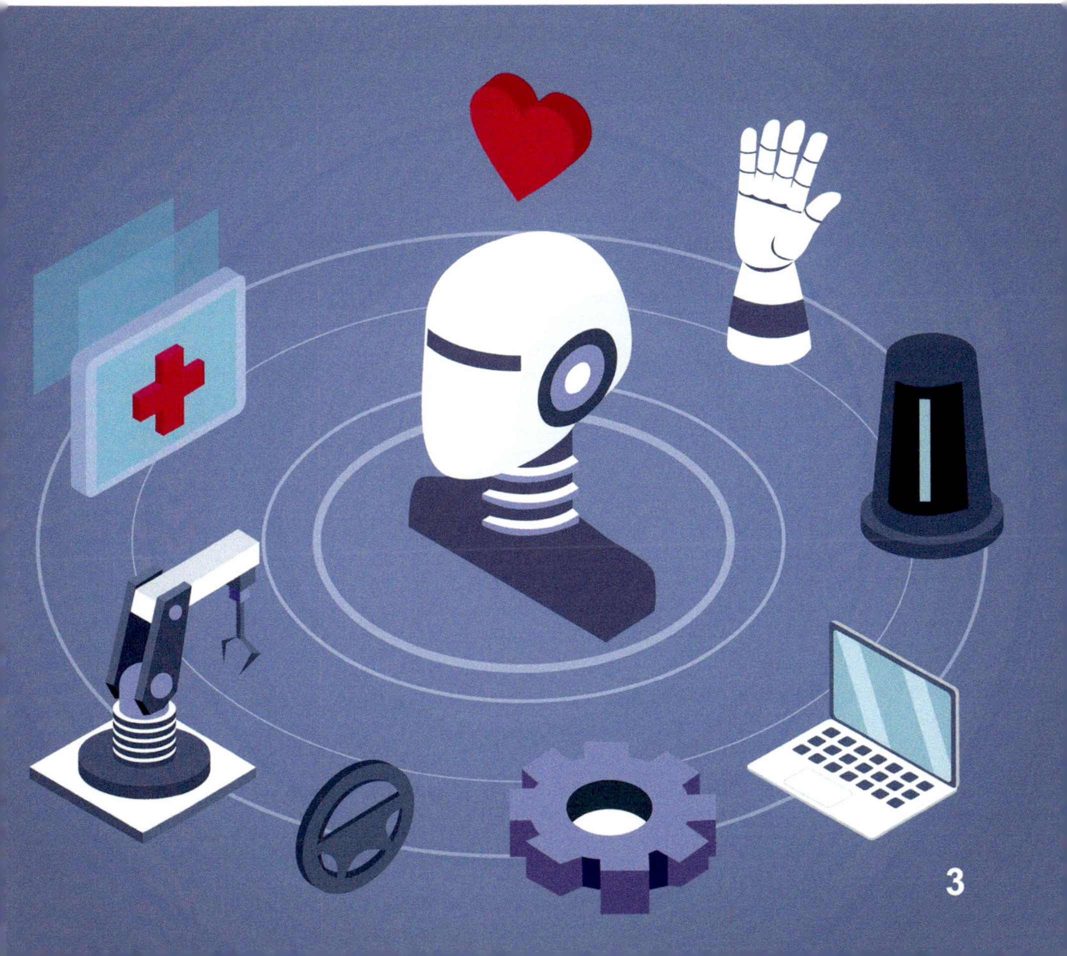

rén men jiào wǒ rén gōng zhì néng hěn
人们叫我“人工智能”。很
duō jī qì rén yǒu hé wǒ chà bu duō de dà nǎo yǒu
多机器人有和我差不多的大脑，有
le zhè yàng de dà nǎo wǒ men jiù kě yǐ zuò fú wù
了这样的大脑，我们就可以做服务
yuán kāi qì chē hái kě yǐ dǎ sǎo wèi shēng
员、开汽车，还可以打扫卫生。

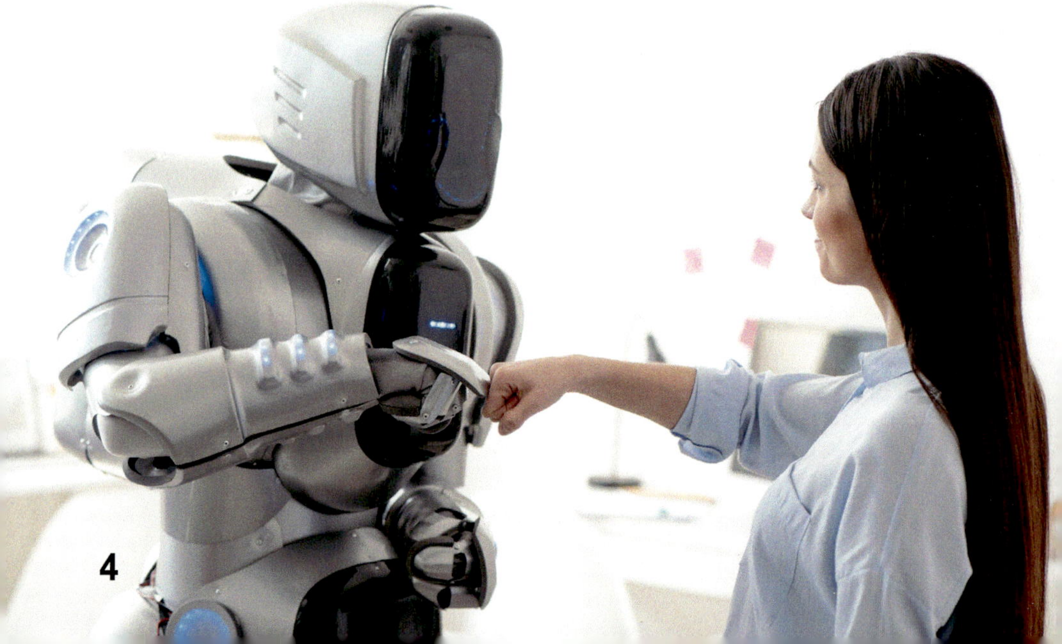

hěn duō nián qián rén gōng zhì néng hé guó
很多年前，人工智能和国
jì xiàng qí dà shī xià qí dé le dì yī míng
际象棋大师下棋，得了第一名。
èr líng yī liù nián sān yuè wǒ hé rén lèi xià wéi qí
2016年3月，我和人类下围棋。
wéi qí shì zuì nán xià de qí yào zuì hǎo de tóu nǎo
围棋是最难下的棋，要最好的头脑
cái néng xià hǎo
才能下好。
wǒ de duì shǒu lǐ
我的对手李
shì shí shì zuì hǎo
世石是最好
de qí shǒu
的棋手。

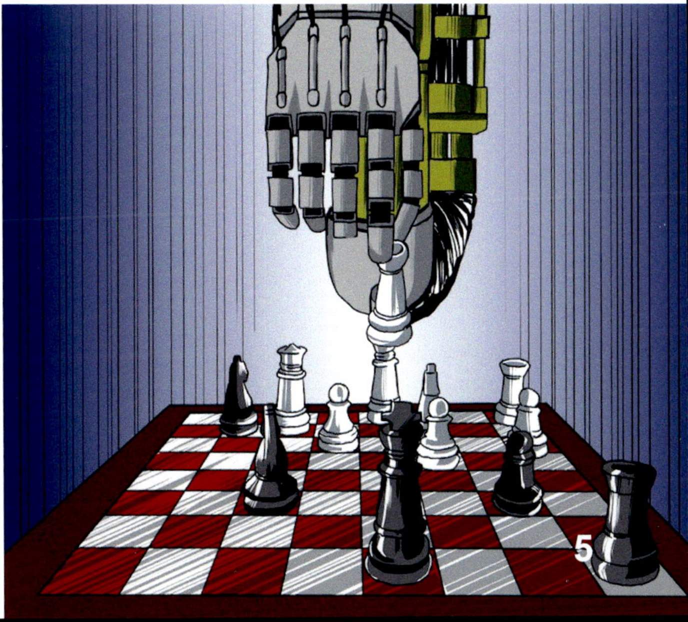

wǒ hé lǐ shì shí xià qí shí, tā de dà nǎo xiǎng de hěn kuài, kě wǒ bǐ tā gèng kuài; tā xià qí xià lèi le, wǒ yì diǎnr yě bú lèi; tā xià qí zháo jí le, wǒ yì diǎnr yě bù zháo jí. zuì hòu, wǒ dé le dì yī míng!

我和李世石下棋时，他的大脑想得很快，可我比他更快；他下棋下累了，我一点儿也不累；他下棋着急了，我一点儿也不着急。最后，我得了第一名！

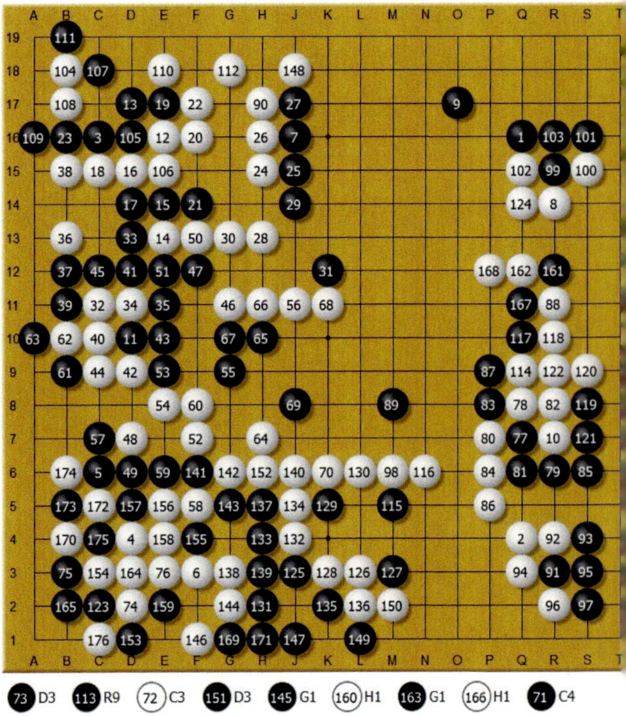

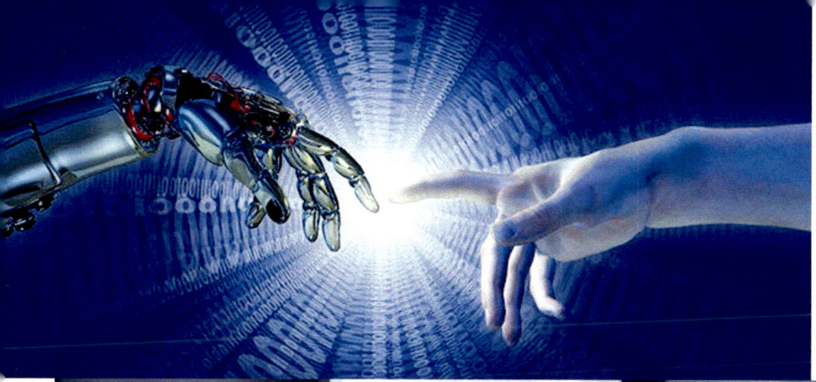

xiàn zài rén rén dōu zhī dào rén gōng zhì néng
现在，人人都知道“人工智能
ā ěr fǎ bú guò qǐng jì zhù wǒ shì rén
阿尔法”。不过，请记住，我是人
zào chu lai de wǒ shì rén lèi de hǎo péng you
造出来的，我是人类的好朋友。

1 我叫阿尔法，我没有手，没有脚，也没有眼睛、鼻子和耳朵，可是我有一个很出色的大脑。

2 我的大脑很好用，人们几年才能学会的东西，我很快就学会了。

3 我还有一个本事：知道了很多东西后，我就可以明白用它们来做什么、做了以后会有什么结果。这样，我就能找到最好最快的办法去做。

4 人们叫我“人工智能”。很多机器人有和我差不多的大脑，有了这样的大脑，我们就可以做服务员、开汽车，还可以打扫卫生。

5 很多年前，人工智能和国际象棋大师下棋，得了第一名。2016年3月，我和人类下围棋。围棋是最难下的棋，要最好的头脑才能下好。我的对手李世石是最好的棋手。

6 我和李世石下棋时，他的大脑想得很快，可我比他更快；他下棋下累了，我一点儿也不累；他下棋着急了，我一点儿也不着急。最后，我得了第一名！

7 现在，人人都知道“人工智能阿尔法”。不过，请记住，我是人造出来的，我是人类的好朋友。

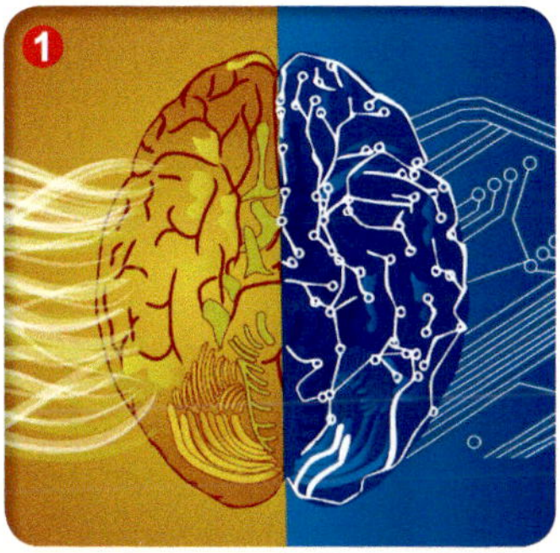
1

2

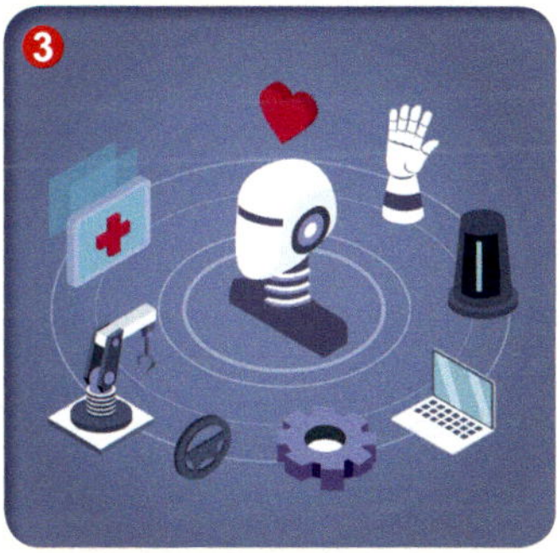
3

4

5

6
ALPHAGO
02:00:00
LEE SEDOL
01:59:41
AlphaGo

看图讲故事

7